# Christmas Word Search

## This Book Belongs to

_____

Tis the season to have some fun doing some Christmas word searches. This book consists of 48-word search puzzles that will get you into the Christmas spirit. You can skip to the back to see the answers, or you can be up for the challenge and solve the puzzles on your own. Have some fun!

# Christmas Puzzle 1

```
B  G  H  W  H  O  F  I  M  P  H  V  G  G  H  P
B  U  H  J  B  C  P  U  H  W  U  U  J  E  Y  A
Z  B  E  L  L  S  O  U  I  L  J  E  J  H  F  D
P  E  L  F  I  Z  F  L  P  G  J  F  L  D  I  V
O  Q  J  M  T  A  I  E  H  X  U  D  T  O  W  E
V  A  E  V  Z  V  D  H  C  E  D  A  R  Z  C  N
X  E  K  V  E  C  H  V  R  A  C  U  K  Y  D  T
H  M  R  F  N  A  Y  S  E  Q  N  A  I  D  Z  C
F  L  C  O  M  N  Q  W  T  N  N  G  R  G  M  A
H  N  T  I  P  D  T  I  C  B  T  D  E  D  Q  L
J  L  V  U  E  Y  J  R  D  O  O  N  P  L  S  E
R  K  C  A  N  D  L  E  S  Q  B  W  Z  I  S  N
V  C  A  N  D  Y  C  A  N  E  S  M  X  R  G  D
U  B  E  T  H  L  E  H  E  M  B  B  O  J  F  A
O  Y  V  A  N  N  O  U  N  C  E  M  E  N  T  R
P  L  H  Q  J  E  W  W  L  T  B  B  O  K  U  J
```

| | |
|---|---|
| ADVENT | ADVENT CALENDAR |
| ANGELS | ANNOUNCEMENT |
| BELLS | BETHLEHEM |
| BLITZEN | CANDLES |
| CANDY | CANDY CANES |
| CARDS | CEDAR |

# Christmas Puzzle 2

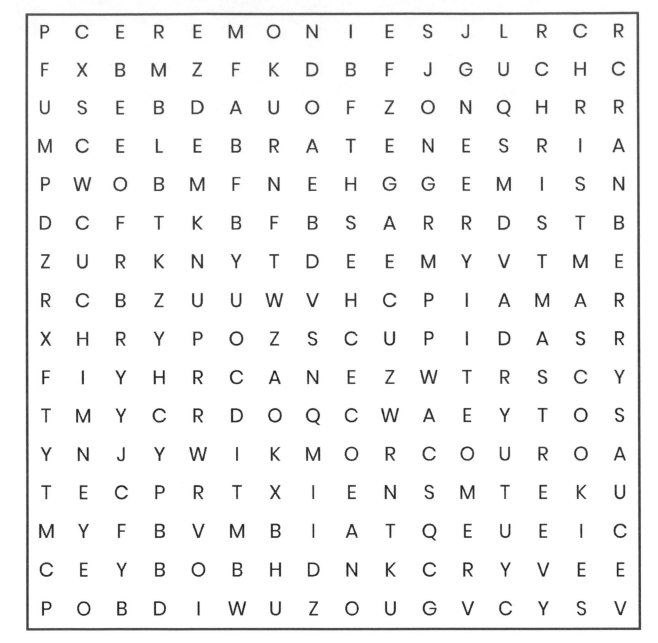

| | | | | | | | | | | | | | | |
|---|---|---|---|---|---|---|---|---|---|---|---|---|---|---|
| P | C | E | R | E | M | O | N | I | E | S | J | L | R | C |
| F | X | B | M | Z | F | K | D | B | F | J | G | U | C | H |
| U | S | E | B | D | A | U | O | F | Z | O | N | Q | H | R |
| M | C | E | L | E | B | R | A | T | E | N | E | S | R | I |
| P | W | O | B | M | F | N | E | H | G | G | E | M | I | S |
| D | C | F | T | K | B | F | B | S | A | R | R | D | S | T |
| Z | U | R | K | N | Y | T | D | E | E | M | Y | V | T | M |
| R | C | B | Z | U | U | W | V | H | C | P | I | A | M | A |
| X | H | R | Y | P | O | Z | S | C | U | P | I | D | A | S |
| F | I | Y | H | R | C | A | N | E | Z | W | T | R | S | C |
| T | M | Y | C | R | D | O | Q | C | W | A | E | Y | T | O |
| Y | N | J | Y | W | I | K | M | O | R | C | O | U | R | O |
| T | E | C | P | R | T | X | I | E | N | S | M | T | E | K |
| M | Y | F | B | V | M | B | I | A | T | Q | E | U | E | I |
| C | E | Y | B | O | B | H | D | N | K | C | R | Y | V | E |
| P | O | B | D | I | W | U | Z | O | U | G | V | C | Y | S |

CELEBRATE
CHIMNEY
CHRISTMAS TREE
COMET
CROWDS
DANCER

CEREMONIES
CHRISTMAS COOKIES
COLD
CRANBERRY SAUCE
CUPID
DASHER

2

# Christmas Puzzle 3

```
V  O  D  E  C  O  R  A  T  I  O  N  S  L  N  X
B  L  A  E  F  R  U  I  T  C  A  K  E  G  S  S
A  Q  K  J  Q  F  F  H  L  M  R  I  P  R  Z  U
T  W  S  G  H  A  E  D  G  D  X  Y  F  B  Z  W
H  U  C  A  S  M  S  E  R  J  O  Z  T  L  F  F
Q  M  N  E  P  I  T  D  F  E  S  L  D  W  I  Y
M  A  V  K  X  L  I  Z  E  A  S  U  L  C  R  V
V  L  R  Z  N  Y  V  D  Y  C  Q  S  X  S  N  T
E  D  P  S  E  R  A  O  T  Z  E  N  I  T  M  R
H  O  P  I  G  E  L  V  B  W  T  M  L  N  H  U
V  N  Z  I  G  U  V  D  C  V  G  W  B  O  G  X
T  N  G  C  N  N  A  B  X  I  P  V  M  E  S  S
L  E  Q  P  O  I  P  Z  E  A  W  A  I  Z  R  O
N  R  G  S  G  O  S  D  V  F  R  O  S  T  Y  B
B  I  H  K  A  N  D  P  B  M  T  Y  N  S  X  R
N  Z  U  J  E  A  S  K  W  D  C  Z  K  F  N  M
```

| | |
|---|---|
| DECEMBER | DECORATIONS |
| DOLLS | DONNER |
| DRESSING | EGGNOG |
| ELVES | FAMILY REUNION |
| FESTIVAL | FIR |
| FROSTY | FRUITCAKE |

# Christmas Puzzle 4

| W | Z | X | Q | P | H | O | Z | O | N | W | R | Q | E | M | F |
|---|---|---|---|---|---|---|---|---|---|---|---|---|---|---|---|
| W | S | D | Z | I | I | L | P | E | H | O | A | L | K | G | M |
| L | F | P | N | Q | P | U | G | S | D | L | B | S | O | R | V |
| V | I | S | C | J | Q | G | H | O | L | I | D | A | Y | E | J |
| U | Z | G | Z | T | V | E | U | B | N | G | R | Q | P | E | L |
| B | H | A | P | P | Y | D | K | E | U | H | P | J | S | T | I |
| N | H | K | I | H | O | L | Y | M | H | T | N | E | P | I | K |
| Y | A | Q | Y | T | Y | C | I | R | Q | S | X | T | L | N | O |
| A | M | I | C | I | C | L | E | S | E | O | E | L | Q | G | U |
| Y | W | H | B | P | T | N | Z | Y | B | W | I | L | T | S | X |
| X | G | D | L | J | O | K | Q | T | S | W | C | I | P | F | F |
| P | K | A | I | E | C | E | F | C | D | Z | G | D | Y | L | M |
| R | G | Z | S | Y | T | I | H | O | L | L | Y | L | K | Y | Y |
| T | X | O | H | J | G | U | O | E | W | H | L | C | V | Y | I |
| G | G | I | F | T | S | G | C | R | Q | O | H | M | B | D | R |
| Q | A | V | U | Y | K | X | F | Z | J | J | Q | P | C | H | F |

GIFT BOXES          GIFTS
GOODWILL            GREETINGS
HAM                 HAPPY
HOLIDAY             HOLLY
HOLY                ICICLES
JOLLY               LIGHTS

# Christmas Puzzle 5

```
N D K L P S U P P S Z G X Q A I
N E W R S A V L I W T T G Z S K
R A W R N F R W E M G I S M I E
N U D Y K Y M T R H E W F A K R
O R S F E Q E Z Y X J R T T M W
E F Y X B A N K X O N N R I S E
L Q W S W M R T Y D A P S Y O V
C Y F N G I V N G E U E I T N Z
X T S O M R O R G J D V E E K A
Q O Y R G A D A G A S L V Y Z M
U Q E T R C P T R T T M B M P P
A W F H S L Z A S S P S R J Y B
B L L P Y E P I I P E F M H T C
P E L O D O L M O R P I N E Y S
N R U L D G G M M G P G D W D E
Z E K E R Q Y J R N O W E K K V
```

| | |
|---|---|
| LISTS | MERRY |
| MIRACLE | MISTLETOE |
| NEW YEAR | NOEL |
| NORTH POLE | PAGEANT |
| PARADES | PARTY |
| PIE | PINE |

# Christmas Puzzle 6

Z U F F Y N W J C G Z N O V Y Y
O F P U M P K I N P I E B D G S
H E T P O I N S E T T I A W S K
U R P L U M P U D D I N G E A L
S V E O D U E P X I G O L A V O
R V B D V J K P R V K A Y X G L
K U Z R G Z G R Z A S Y I K D V
R D D B W R V E O I N S P I B S
E V B O Z H E S W N J C H N U Y
I J T T L X K E A V M Z E Q L I
N R C F M P W N C Z G X R N O
D I B X A U H T I Y R L Y Q Y R
E B M M B N X S J C M E A I W Q
E B M G D C G I Z I U W D Y A D
R O Z Q T H R A V H N Y W Z K P
H N G M Z J M D S Y T Y N P Z T

PLUM PUDDING          POINSETTIA
PRANCER               PRESENTS
PUMPKIN PIE           PUNCH
RED/GREEN             REINDEER
RIBBON                RUDOLPH
SACRED                SALES

# Christmas Puzzle 7

```
S  G  S  I  Q  C  V  R  Z  C  Z  T  W  W  R  T
T  D  U  P  S  F  F  S  C  R  O  O  G  E  E  O
O  Q  Q  O  G  O  N  J  H  S  A  U  C  E  C  Y
C  N  F  S  J  I  A  S  S  C  S  W  H  N  C  A
K  T  J  I  T  J  G  W  S  P  F  H  M  G  D  U
I  Z  L  K  J  A  Z  J  D  T  I  U  L  N  Q  S
N  Y  R  P  D  Y  N  O  D  N  I  R  D  O  X  T
G  K  M  E  M  L  N  D  O  B  X  C  I  E  M  A
S  X  L  Q  A  C  A  S  L  V  S  Y  K  T  T  R
T  S  X  U  I  K  A  T  N  A  T  V  Z  E  O  O
U  Y  A  F  Z  E  K  E  Y  B  N  V  Y  K  R  S
F  A  L  C  S  K  I  F  X  X  I  Q  Y  M  K  S
F  Z  K  U  L  F  M  L  L  D  C  V  A  P  E  E
E  P  E  B  Q  S  Q  L  I  Z  K  X  B  T  W  Y
R  V  I  S  N  O  W  F  L  A  K  E  S  N  Q  L
S  L  E  I  G  H  B  E  L  L  S  U  N  E  V  W
```

| | |
|---|---|
| SAUCE | SCROOGE |
| SEASON | SLED |
| SLEIGHBELLS | SNOWFLAKES |
| SPIRIT | ST. NICK |
| STAND | STAR |
| STICKERS | STOCKING STUFFERS |

# Christmas Puzzle 8

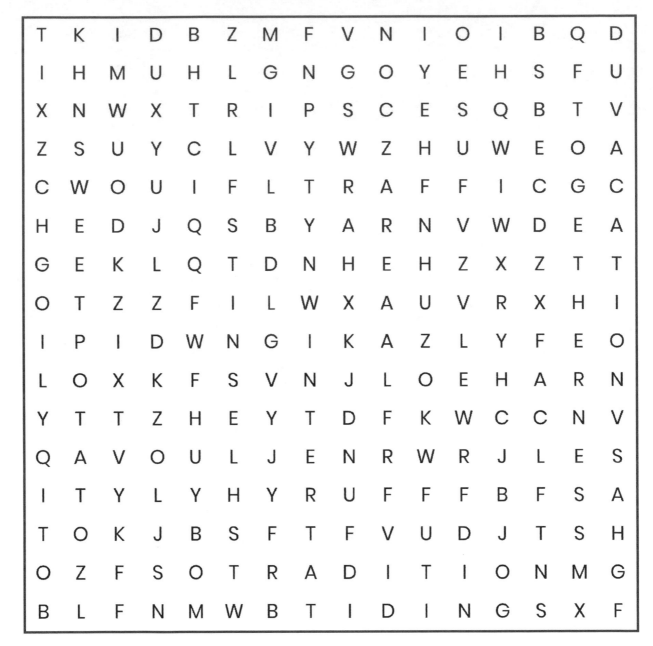

T K I D B Z M F V N I O I B Q D
I H M U H L G N G O Y E H S F U
X N W X T R I P S C E S Q B T V
Z S U Y C L V Y W Z H U W E O A
C W O U I F L T R A F F I C G C
H E D J Q S B Y A R N V W D E A
G E K L Q T D N H E H Z X Z T T
O T Z Z F I L W X A U V R X H I
I P I D W N G I K A Z L Y F E O
L O X K F S V N J L O E H A R N
Y T T Z H E Y T D F K W C C N V
Q A V O U L J E N R W R J L E S
I T Y L Y H Y R U F F F B F S A
T O K J B S F T F V U D J T S H
O Z F S O T R A D I T I O N M G
B L F N M W B T I D I N G S X F

| | |
|---|---|
| SWEET POTATO | TIDINGS |
| TINSEL | TOGETHERNESS |
| TOYS | TRADITION |
| TRAFFIC | TRIPS |
| TURKEY | VACATION |
| VIXEN | WINTER |

# Christmas Puzzle 9

```
G  L  L  P  W  U  H  E  K  W  Y  V  L  V  C  S
A  O  M  N  R  G  W  M  K  L  P  H  R  O  L  W
R  T  H  Z  B  A  G  C  F  I  W  L  L  O  L  R
T  W  M  T  L  L  T  I  H  A  I  K  E  O  A  A
I  H  R  U  T  U  S  S  Y  S  R  D  Y  E  P  P
F  L  S  M  X  C  R  T  J  H  I  O  Z  B  P  P
I  Z  B  F  E  O  H  R  A  T  F  H  M  R  R  I
C  E  K  L  W  V  D  P  E  G  T  C  M  A  E  N
I  X  U  A  E  O  X  L  K  A  V  Q  G  W  C  G
A  Y  I  I  M  G  U  L  E  W  H  L  Q  U  I  P
L  L  I  W  D  Y  T  R  H  J  U  R  Q  L  A  A
T  M  V  C  T  F  W  S  H  J  P  W  O  Y  T  P
R  A  N  N  O  U  N  C  E  M  E  N  T  W  I  E
E  V  M  G  S  U  Y  L  X  L  L  B  V  L  O  R
E  B  B  A  B  Y  I  Q  G  V  D  G  D  Y  N  N
M  W  R  A  N  T  I  C  I  P  A  T  I  O  N  H
```

| | |
|---|---|
| ANNOUNCEMENT | ANTICIPATION |
| APPRECIATION | AROMA |
| ARTIFICIAL TREE | AWE |
| BABY | WORSHIP |
| WRAPPING PAPER | WREATH |
| YULE | YULETIDE |

# Christmas Puzzle 10

| | | | | | | | | | | | | | | |
|---|---|---|---|---|---|---|---|---|---|---|---|---|---|---|
| B | T | B | B | L | I | T | Z | E | N | M | S | B | T | C | K |
| Y | B | T | E | S | B | J | P | K | A | L | B | W | Y | C | B |
| W | C | E | E | T | M | O | I | P | B | N | E | O | C | X | L |
| Z | X | B | L | X | H | E | E | W | E | J | L | L | S | S | U |
| D | R | I | H | I | Q | L | L | U | L | P | O | F | F | H | S |
| T | A | R | B | E | E | R | E | A | L | O | N | G | M | C | T |
| H | C | T | O | E | D | F | D | H | S | U | G | Y | O | Q | E |
| J | B | H | B | L | A | R | D | N | E | K | I | Q | I | B | R |
| T | B | L | E | A | A | U | C | U | Y | M | N | Q | C | B | Y |
| C | V | Q | E | Z | K | W | T | H | V | V | G | P | B | D | R |
| Q | K | J | Z | S | V | I | K | Y | N | B | A | L | S | A | M |
| I | Y | I | F | O | S | N | N | S | T | G | J | N | C | T | E |
| F | L | D | U | L | W | I | H | G | R | J | Y | P | H | O | X |
| B | B | Q | U | S | U | J | N | K | S | B | G | Z | W | P | E |
| H | X | L | Y | Z | X | E | P | G | V | N | A | D | F | Y | K |
| Q | O | F | H | I | V | F | L | P | J | V | Q | Q | N | R | A |

BAKING
BEAUTY
BELLS
BETHLEHEM
BLESSING
BLIZZARD

BALSAM
BELIEF
BELONGING
BIRTH
BLITZEN
BLUSTERY

# Christmas Puzzle 11

```
V F N E B U C H E D E N O E L K
B V U Q T K O X J X B C M Q Y T
R E J R C O S B Y E O C W B E M
D A H E Q A R G N D W M H F S A
U J W X K F M A C Y S V F A R V
Z L D X K L C E D A Y U C V S H
C D Q J I Y V X L A B U G N G B
K C N L D D C T D I H G O U C Y
C W A N Y J J G O J F B O I W S
P P A N H Z N A Y N X B X R H G
B C L Y D I N S P W F Q A C M S
T M T E X L T B O X C Q Z C I Y
P W O O P O E S Q P X A J V Y D
Q C B V O R F D R X V F N H M S
Z E X B A F Q B W H J E D D H P
R C A N D L E L I G H T I V Y X
```

| | |
|---|---|
| BOOTS | BOUGH |
| BOW | BOX |
| BOXING DAY | BUCHE DE NOEL |
| BUFFET | CAMEL |
| CANDLE | CANDLE LIGHT |
| CANDY | CANDY CANE |

# Christmas Puzzle 12

| L | G | J | K | U | Y | E | N | N | K | W | W | R | V | S | V |
|---|---|---|---|---|---|---|---|---|---|---|---|---|---|---|---|
| A | P | K | C | E | D | A | R | I | G | M | Q | N | S | N | A |
| G | A | U | B | B | T | X | T | C | P | J | Z | N | O | Q | S |
| C | W | Z | E | W | N | S | D | A | E | T | K | I | A | K | B |
| E | U | F | J | P | K | L | C | R | U | R | T | X | U | A | T |
| L | B | D | Q | S | W | C | X | B | C | A | E | C | W | S | I |
| E | U | Y | U | X | L | S | B | R | A | P | M | R | C | H |
| B | R | C | C | B | J | F | Z | B | G | Z | R | E | O | K | E |
| R | Q | A | H | D | A | E | E | N | X | K | L | O | J | N | A |
| A | O | R | X | X | I | L | I | B | T | O | L | Y | L | N | Y |
| T | L | O | S | G | E | R | J | C | R | Q | T | S | R | V | S |
| E | J | L | R | C | A | K | U | A | L | I | L | V | L | W | A |
| P | P | I | O | C | G | N | C | Q | R | O | O | C | X | P | W |
| V | N | N | D | K | G | P | E | A | R | N | H | V | U | I | Q |
| R | D | G | C | A | R | D | H | A | K | T | F | V | J | P | K |
| W | G | G | Q | D | X | C | C | J | Z | M | X | Y | Q | M | C |

| | |
|---|---|
| CAP | CARD |
| CARING | CAROL |
| CAROLERS | CAROLING |
| CAROLS | CEDAR |
| CELEBRATE | CELEBRATION |
| CEREMONY | CHARITY |

# Christmas Puzzle 13

```
C H R I S T M A S C O O K I E B
G O B C H R I S T M A S E V E H
F Z K E F C H O C O L A T E O B
I K C H R I S T M A S C A R O L
C T H W H Q I K L M S C I L Y Z
V G R C H E S T N U T S H A T J
V M I C C H I M N E Y B D I L T
Q C S R H K R R Z E H S K B L D
F H T O E R E F I S A X R L S L
Q I M E A E I U P M A W H A B J
F L A D H C S S T H R C Y H G U
F D S C U A P S T X H Z J I D G
S R C R F Z I Z K M V G U T G C
Z E A H K R E O S Y A J M P C Q
B N R O H E Q I P R H S D W E P
T Q D C E D O B U E A E W B L R
```

CHEER                    CHESTNUTS
CHILDREN                 CHILL
CHIMNEY                  CHOCOLATE
CHRISTMAS                CHRISTMAS CARD
CHRISTMAS CAROL          CHRISTMAS COOKIE
CHRISTMAS DAY            CHRISTMAS EVE

# Christmas Puzzle 14

```
R  C  H  R  I  S  T  M  A  S  S  T  A  R  J  X
X  C  H  R  I  S  T  M  A  S  F  U  T  U  R  E
C  F  C  C  Z  P  L  Q  T  J  S  S  P  I  X  C
R  H  C  H  H  U  P  L  L  G  Y  S  R  H  W  K
F  D  R  H  R  R  S  O  U  F  I  B  P  B  G  P
M  G  A  I  R  I  I  L  K  K  I  B  A  O  E  L
I  H  D  M  S  I  S  S  R  S  I  D  D  G  U  G
I  K  T  D  R  T  S  T  T  H  I  Q  Z  V  V  F
O  Y  B  P  W  D  M  T  M  M  W  R  E  L  V  L
D  I  V  Y  Z  B  V  A  M  A  A  B  X  H  V  G
H  D  U  D  W  B  G  H  S  A  S  S  X  W  T  A
O  D  O  Y  C  G  N  Q  M  P  S  P  G  F  B  Z
S  R  G  N  A  D  R  K  U  P  A  T  L  I  W  R
M  B  K  Z  X  I  B  M  N  M  C  S  R  A  F  L
O  J  U  T  V  G  I  K  L  E  E  X  T  E  Y  T
Y  X  U  Z  B  W  Y  P  X  J  D  S  P  L  E  I
```

CHRISTMAS FUTURE    CHRISTMAS GIFT
CHRISTMAS PAST      CHRISTMAS PLAY
CHRISTMAS STAR      CHRISTMAS TREE

# Christmas Puzzle 15

```
U  R  X  N  X  F  F  N  X  C  G  D  M  L  W  X
B  E  Q  Q  F  V  H  S  X  X  L  H  Z  D  C  O
W  C  O  O  K  I  E  O  Q  X  U  O  E  Q  H  Z
Q  W  H  J  V  X  X  M  Q  V  M  D  V  N  R  R
H  Q  U  H  Q  C  O  M  E  T  I  X  O  E  I  C
C  K  M  R  Z  D  P  Y  T  T  L  I  Y  S  S  O
T  T  W  L  E  D  Z  R  S  D  T  F  I  F  T  M
S  M  A  E  N  R  O  A  M  A  X  L  G  U  M  M
B  O  M  F  H  F  M  S  C  H  Q  J  A  F  A  U
C  Q  T  P  M  T  O  I  Y  C  A  I  M  T  S  N
H  N  U  O  S  H  N  X  F  H  N  Q  C  E  W  I
J  Q  C  I  D  U  L  X  B  U  M  B  I  E  I  T
F  G  R  V  M  G  M  K  Y  R  O  I  D  G  S  Y
K  H  J  M  L  W  Q  T  K  C  I  S  E  I  H  V
C  W  O  G  P  Y  W  H  N  H  D  U  R  Y  I  D
Z  C  A  J  G  P  Z  Y  G  X  M  L  M  D  T  J
```

| | |
|---|---|
| CHRISTMAS WISH | CHRISTMASTIDE |
| CHURCH | CIDER |
| CLOVES | COAL |
| COMET | COMFORT |
| COMMUNICATION | COMMUNITY |
| COOKIE | |

# Christmas Puzzle 16

```
L  D  B  T  C  O  R  N  U  C  O  P  I  A  7  Q
D  8  A  6  F  D  0  P  1  2  D  J  Z  S  R  T
I  L  X  N  J  4  T  D  I  5  M  A  E  A  P  6
S  3  K  X  C  1  C  R  E  G  C  I  S  S  6  D
P  Q  P  R  E  E  5  8  N  C  R  N  8  H  U  J
L  C  Y  1  Q  N  R  I  C  R  O  8  K  Y  E  3
A  F  L  1  1  F  K  K  E  Q  G  R  S  U  C  R
Y  U  9  R  V  O  M  B  6  N  C  Q  A  Z  C  Y
O  G  E  Y  O  D  N  C  I  P  O  0  2  T  K  D
4  H  C  C  S  A  W  C  A  4  U  Y  L  9  E  E
T  U  4  P  R  E  N  G  0  Z  N  E  B  H  0  C
W  D  4  C  M  A  R  S  E  V  T  2  X  Q  T  E
7  V  6  3  D  R  U  U  X  9  I  M  Q  O  E  M
D  E  C  E  M  B  E  R  2  5  N  3  3  3  B  B
2  S  C  B  C  F  6  Q  P  O  G  4  A  U  R  E
G  G  E  Y  D  E  C  O  R  A  T  I  O  N  S  R
```

| | |
|---|---|
| COOKING | CORNUCOPIA |
| COUNTING | CRANBERRIES |
| DANCER | DANCING |
| DASHER | DECEMBER |
| DECEMBER 25 | DECORATE |
| DECORATIONS | DISPLAY |

# Christmas Puzzle 17

```
G  E  F  C  F  T  S  R  Y  P  K  D  M  B  C  U
Y  A  Y  O  S  P  D  R  I  N  K  I  N  G  K  Q
C  O  Z  A  J  D  O  N  A  T  I  O  N  S  M  J
K  X  M  G  V  O  S  T  D  R  E  I  D  E  L  J
L  E  F  F  O  R  T  X  Z  F  N  H  G  S  L  W
N  L  B  O  F  S  A  L  O  Z  G  H  R  Q  G  Q
B  D  Z  S  Y  B  K  D  U  C  K  Q  X  A  E  M
C  R  A  Z  B  X  B  E  G  G  N  O  G  U  A  A
Z  E  T  O  J  M  W  L  H  J  T  S  D  N  T  K
Q  A  Q  J  P  Q  W  D  I  R  V  C  F  D  I  E
I  M  M  M  D  O  N  N  E  R  G  Q  C  O  N  P
D  R  E  S  S  I  N  G  W  L  N  K  X  L  G  O
T  V  T  I  Z  E  U  H  J  J  K  J  A  L  F  R
Y  F  P  V  P  Q  J  I  B  F  N  I  S  S  N  G
Q  O  P  I  X  F  D  L  J  Q  N  S  I  O  N  Z
V  E  B  E  N  E  Z  E  R  S  C  R  O  O  G  E
```

DOLLS                  DONATIONS
DONNER                 DREAM
DREIDEL                DRESSING
DRINKING               DUCK
EATING                 EBENEZER SCROOGE
EFFORT                 EGGNOG

# Christmas Puzzle 18

| | | | | | | | | | | | | | | | |
|---|---|---|---|---|---|---|---|---|---|---|---|---|---|---|---|
| H | M | Y | E | E | X | P | E | C | T | A | T | I | O | N | O |
| T | O | R | V | N | Z | N | K | U | N | Y | I | E | L | P | G |
| K | S | H | B | Y | T | R | E | E | O | C | K | P | M | H | L |
| L | V | S | S | Q | N | E | E | X | Z | P | O | I | J | D | G |
| N | T | O | E | E | J | R | R | E | C | B | B | P | E | L | F |
| J | Z | Z | F | D | G | K | B | T | W | H | J | H | T | P | E |
| V | A | O | Z | R | B | G | Z | S | A | D | A | A | L | T | L |
| E | W | R | E | V | E | C | E | E | S | I | V | N | T | L | F |
| X | S | V | V | M | L | M | K | M | L | G | N | Y | G | V | O |
| O | E | F | C | R | A | V | B | E | M | V | X | M | J | E | W |
| S | W | F | X | E | O | I | V | R | A | A | E | G | E | R | Y |
| J | K | D | L | N | J | E | L | Z | A | Z | N | S | V | N | A |
| G | S | F | Y | J | Z | Q | Q | F | U | C | I | U | H | X | T |
| H | N | N | D | N | Z | B | R | U | Y | F | E | J | E | Y | N |
| O | W | K | E | N | T | E | R | T | A | I | N | U | R | L | C |
| M | F | R | U | M | C | K | P | I | E | R | D | K | W | E | G |

| | |
|---|---|
| ELF | ELVES |
| EMAIL | EMBRACE |
| EMMANUEL | ENTERTAIN |
| ENTERTAINMENT | EPIPHANY |
| EVE | EVERGREEN |
| EXCHANGE | EXPECTATION |

# Christmas Puzzle 19

```
U F E L I Z N A V I D A D H F K
F F H C F I G G Y P U D D I N G
A E F S X C C A Y L S K B O T U
T S A F K Q Q A F X S M U N J A
H T M A I X P O A B L Z F F D D
E I I M R J G A I D W E A E I R
R V L I I H K N T L V E M S V V
C E Y L Y X L C H J L S I T Z X
H V R Y F A M I L I A R L I R I
R A E P F E A S T E U F I V T A
I B U R F H H S E B M G A A C Y
S N N Q O E C R F Y D Y R L Q X
T H I P X K R A X W E M I K I G
M Y O A P W G V S I F W T N A P
A K N P T K C F O V Q Z Y A M D
S D I K L P F J F R H C S A S F
```

| | |
|---|---|
| FAITH | FAMILIAR |
| FAMILIARITY | FAMILY |
| FAMILY REUNION | FATHER CHRISTMAS |
| FEAST | FELIZ NAVIDAD |
| FERVOR | FESTIVAL |
| FESTIVE | FIGGY PUDDING |

# Christmas Puzzle 20

| B | B | I | O | G | U | C | E | W | D | F | P | R | Y | F | T |
| H | F | I | R | E | P | L | A | C | E | W | F | R | Z | L | F |
| A | I | O | N | Y | E | Y | F | R | U | A | C | R | E | A | R |
| H | D | M | N | C | Y | U | I | I | W | X | I | E | J | T | E |
| V | F | D | I | E | F | F | R | M | R | U | I | S | S | B | S |
| R | L | Q | F | S | C | R | A | F | J | E | S | U | J | R | H |
| B | R | H | B | B | E | L | I | Y | K | E | W | A | D | E | S |
| W | F | R | E | E | D | O | M | E | N | H | M | O | Y | A | N |
| S | F | T | Z | D | U | E | D | E | N | L | I | T | O | D | O |
| S | M | B | Y | R | T | A | V | B | A | D | S | P | H | D | W |
| B | X | I | F | A | E | I | A | D | F | O | S | H | H | A | F |
| G | J | X | Y | U | G | U | Z | O | R | R | B | H | K | F | A |
| T | S | R | A | R | N | V | C | F | M | R | W | U | I | N | L |
| S | C | P | O | V | Y | R | O | N | D | X | I | O | T | P | L |
| T | A | F | R | A | N | K | I | N | C | E | N | S | E | B | X |
| F | R | O | S | T | Y | T | H | E | S | N | O | W | M | A | N |

FIR                          FIREPLACE
FIREWOOD                     FLAT-BREAD
FORGIVENESS                  FRANKINCENSE
FREEDOM                      FRESH SNOWFALL
FRIENDS                      FRIENDSHIP
FROSTY                       FROSTY THE SNOWMAN

# Christmas Puzzle 21

Y R G P D B O M B S Z H S X W E
Q C G I F T E X C H A N G E W R
N T B W I G I F T B O X G A L A
K A M B W T E X J J S F S Y G K
H C F R U I T C A K E N C X F O
K Z M A F I Y G I R O L Z P H J
L G K E X G V E E I S U I C G J
P E I M W U K H T P O V Q Q A J
I N J F K W T A M L X G Y C T D
P E A D F A R F S N L S I W W X
J R U G G E X V Y S N M A F F A
S O F L N Y Z W W V G X M Y T U
L S Y E G A T H E R I N G C V Z
B I G A R L A N D I G E T E P S
L T B H D C I J D H G V F L W Y
D Y H G I F T G I V I N G X Q T

FRUITCAKE          GALA
GARLAND            GATHER
GATHERING          GENERATIONS
GENEROSITY         GIFT
GIFT BOX           GIFT EXCHANGE
GIFT-GIVING

# Christmas Puzzle 22

```
Y  W  E  V  S  O  V  C  E  J  Z  M  U  G  T  F
C  Y  G  X  R  W  O  U  O  P  A  W  F  I  L  J
I  G  O  S  E  Q  D  W  B  B  R  T  T  N  Y  P
A  I  O  Z  U  L  F  V  B  E  G  W  P  G  G  L
V  F  D  W  O  C  Z  N  T  N  H  P  D  E  O  W
W  T  W  G  P  G  R  T  L  L  K  A  I  R  D  I
N  L  I  S  J  Q  I  G  V  K  E  F  G  B  S  H
C  I  L  F  I  L  K  L  H  R  W  F  I  R  H  O
G  S  L  J  G  H  C  O  B  R  E  B  V  E  O  C
V  T  D  H  S  S  B  R  V  J  T  M  E  A  L  I
O  P  S  S  O  F  E  I  O  L  G  G  B  D  Y  L
B  D  Y  K  M  G  A  A  Z  K  O  V  B  M  S  S
I  X  Y  L  N  D  O  R  Y  R  F  N  Z  A  O  R
S  H  P  I  M  O  S  L  G  R  G  A  P  N  N  J
K  Q  G  L  A  D  T  I  D  I  N  G  S  C  O  P
G  I  N  G  E  R  B  R  E  A  D  H  O  U  S  E
```

| | |
|---|---|
| GIFT LIST | GINGERBREAD |
| GINGERBREAD HOUSE | GINGERBREAD MAN |
| GIVE | GLAD TIDINGS |
| GLITTER | GLORIA |
| GOD'S HOLY SON | GOLD |
| GOODWILL | |

# Christmas Puzzle 23

```
Q V N K P E G D H L X I X K S G
F A Z H T V R U L S E X S B D N
G G X O S C I G W A U L A E Q D
R A D F Q W N S K A Z E G N P F
A G X P A A C J S Z C H R A B N
T M U U I Y H G N A K R E F S N
I L Y E Q F H R U K M E H W B
T W B R S S G G Z H M Y T Z L T
U G R B S T I R D J R Q I V A J
D T R B G O O S E E M M N F V X
E T V V W G Q E N E P O G A P M
O D A V L W R E S U N Q S G O Q
I G R A V Y E N O L E S W R P A
Q V M Y D R Y R G O U R M E T Z
R Y T R G L G E M T Y C P E W O
Y D S Z U T T V F S T E X N B D
```

GOOSE                    GOURMET
GRACE                    GRATITUDE
GRAVY                    GREEN
GREENERY                 GREENS
GREETINGS                GRINCH
GROUP                    GUEST

# Christmas Puzzle 24

| | | | | | | | | | | | | | | | |
|---|---|---|---|---|---|---|---|---|---|---|---|---|---|---|---|
| J | O | A | Q | Y | G | N | Z | F | T | V | X | P | X | F | D |
| I | S | M | S | Z | H | V | S | H | H | E | E | E | H | C | L |
| K | T | V | A | P | H | N | H | X | H | A | J | M | E | R | U |
| B | Z | H | E | C | E | H | A | Q | K | M | T | U | N | H |
| M | M | E | V | K | A | O | P | O | T | N | C | L | E | W | A |
| M | R | A | I | Q | R | L | P | L | V | G | G | V | P | I | R |
| Z | R | R | Q | K | T | I | I | I | V | N | A | U | E | V | D |
| A | Z | T | D | R | L | N | N | D | K | E | Z | U | O | R | S |
| Z | U | J | D | D | A | E | E | A | H | D | Q | X | W | J | A |
| X | Z | O | C | E | N | S | S | Y | D | H | Z | A | B | D | U |
| R | A | S | E | N | D | S | S | H | A | R | V | E | S | T | C |
| K | C | E | H | A | N | U | K | K | A | H | T | L | R | X | E |
| D | H | H | O | L | D | I | N | G | H | A | N | D | S | K | E |
| D | F | Q | B | Y | T | H | E | R | I | T | A | G | E | D | D |
| F | P | Z | S | E | N | K | O | D | Q | Y | G | E | N | I | U |
| P | A | K | Y | U | L | R | K | G | K | F | B | I | M | R | P |

HAM
HAPPINESS
HARVEST
HEARTLAND
HERITAGE
HOLIDAY

HANUKKAH
HARD SAUCE
HEART
HEAVEN
HOLDING HANDS
HOLINESS

# Christmas Puzzle 25

```
V  W  C  U  R  H  W  M  Y  L  C  O  I  M  M  Y
E  L  O  O  R  P  H  U  M  I  L  I  T  Y  P  L
J  H  H  K  Q  Q  M  R  L  Q  J  X  R  T  E  Q
G  O  X  A  I  H  O  S  N  G  V  O  J  P  G  E
S  T  O  H  E  O  L  M  C  S  N  I  O  F  J  S
Q  C  O  S  H  S  C  B  B  O  K  H  Q  Q  I  Z
G  H  H  N  O  T  C  H  H  G  X  N  I  G  Y  X
Y  O  O  Q  L  E  J  H  N  Q  S  M  J  A  W  M
N  C  T  B  L  S  E  M  O  O  H  U  G  F  Z  Q
H  O  C  H  Y  S  Y  F  B  M  W  M  G  E  K  Y
R  L  I  A  J  H  F  K  Y  P  E  L  U  T  B  O
O  A  D  G  L  H  O  M  E  M  Z  W  S  K  M  T
V  T  E  Y  J  Y  C  D  G  X  M  O  A  M  T  L
Q  E  R  L  H  U  R  U  N  C  H  S  U  R  Q  C
D  O  M  N  G  R  J  Z  Z  L  M  G  D  N  D  N
G  K  J  X  J  A  D  M  E  U  A  A  F  G  K  X
```

| | |
|---|---|
| HOLLY | HOME |
| HOMEWARD | HONOR |
| HOPE | HOST |
| HOSTESS | HOT CHOCOLATE |
| HOT CIDER | HUG |
| HUMILITY | HYMN |

# Christmas Puzzle 26

| | | | | | | | | | | | | | | | |
|---|---|---|---|---|---|---|---|---|---|---|---|---|---|---|---|
| I | L | L | U | M | I | N | A | T | I | O | N | X | B | A | T |
| C | V | Q | H | J | E | S | U | S | Y | X | W | F | C | B | A |
| E | S | L | F | N | A | G | E | N | R | T | V | O | T | Y | L |
| S | Q | L | G | G | H | M | I | Q | E | L | R | N | O | C | B |
| K | U | I | A | R | F | E | B | C | N | D | A | Z | N | U | X |
| A | D | W | V | M | W | I | N | F | Z | F | U | O | L | V | U |
| T | Z | D | R | Y | E | E | I | V | N | V | I | V | B | F | B |
| E | G | F | J | F | C | T | E | I | V | T | Q | Y | R | W | W |
| S | X | H | J | O | S | M | E | E | A | I | D | Z | B | B | O |
| S | R | V | N | I | V | A | X | T | K | C | S | H | R | V | S |
| K | N | N | R | V | B | M | I | Q | S | I | F | O | I | N | N |
| A | I | H | I | K | U | V | S | C | X | C | P | X | V | U | G |
| T | C | O | C | L | N | S | Y | D | Q | L | D | U | C | C | A |
| I | C | Z | E | I | Z | A | W | Q | O | E | S | J | L | Y | Y |
| N | X | J | I | N | G | L | E | B | E | L | L | S | J | I | L |
| G | D | M | J | O | Q | U | R | M | V | R | W | C | D | R | X |

| | |
|---|---|
| CHRIST | ICE |
| ICE SKATES/SKATING | ICICLE |
| ILLUMINATION | INFANT |
| INN | INNOCENCE |
| INVITATION | IVY |
| JESUS | JINGLE BELLS |

26

# Christmas Puzzle 27

```
Z  Y  A  I  O  G  W  P  Q  P  L  H  E  N  Z  F
Z  J  X  G  R  E  F  W  A  S  C  L  S  D  O  M
V  W  O  B  M  L  R  H  G  S  V  U  I  C  W  J
D  E  D  L  M  Y  P  K  I  N  A  R  A  Z  O  O
K  L  I  P  L  E  Y  U  Q  L  T  S  D  D  S  Y
I  J  V  N  S  Y  N  S  E  J  R  K  V  B  A  E
B  I  O  O  E  C  I  S  K  A  R  A  M  U  X  U
B  C  J  U  H  D  N  N  Q  F  G  K  I  N  G  X
E  B  Y  R  R  E  X  Y  B  J  X  O  S  A  S  N
H  P  A  W  W  N  J  N  O  U  Z  U  F  S  C  O
P  F  Q  G  H  I  E  O  L  O  P  R  I  Y  S  E
J  V  N  S  Q  O  P  Y  Y  M  P  K  P  I  U  L
E  I  A  H  R  Z  F  D  A  O  M  M  V  K  H  W
K  N  M  J  D  B  I  R  G  R  Z  W  O  O  A  Q
D  U  N  A  R  M  K  G  N  R  U  M  D  A  L  F
R  I  X  A  J  C  N  S  P  H  H  Z  O  Y  M  L
```

| | |
|---|---|
| JOLLY | JOSEPH |
| JOURNEY | JOY |
| JOYEUX NOEL | KARAMU |
| KIBBE | KINARA |
| KING | KING WENSELAUS |
| KISS | KRAMPUS |

# Christmas Puzzle 28

```
W E M K R I S K R I N G L E M F
O N L Y L A N T E R N M O A S A
N U G E L I G H T S C G A K S C
E G I B T H L S T A D A L G B R
K W Z L V T M D U K Z K D J V U
N C S O G B E Q L N Z Z G H Q T
H A L L K Q H R A V J E E A M Q
Z Y H A U L B W N S J L A L Y N
V V W B U I K N V A C M O K H R
Z K X Q R G R O F N X Z J R I I
L O G Y Y H H E H T M H V L D S
D O R F L T Z T M A I P W I N U
L K H R D I B L E O A D M S B C
F C U Q F N F C M R I S T T G S
G B U C C G V S E T A V H G V R
L I T T L E D R U M M E R B O Y
```

KRIS KRINGLE          KWANZAA
LANTERN               LAUGHTER
LETTER                LIGHTING
LIGHTS                LIST
LITTLE DRUMMER BOY    LOG
LORD                  SANTA

# Christmas Puzzle 29

```
E C L U M I N A R I A R L I X E
L M T J H K J B Y W P E A Q R A
M A I U Z B N T O V H S K V T X
B R X Z O L S X P L H W E D Y I
Z Y A R I E P F P K P R I Q W R
B K F A J L M A G I Q P O G L T
Q B M A T W U A E S T T Z P D H
W L M A E N K M G P P A V Z L I
H Q B R C Z J D P I Y I V E M X
R K M S Z O H I M O C J L M A O
A J X A L Z A J G T F T Q T S J
Y M K R N O R E V X N C Y F S D
R L Y V Y G V J O A Y A O C Q K
G N P N U L E E M X J M D A L I
L R D H Z G M R G A E Q E C L L
M E A T A N D S P I C E S O P H
```

| | |
|---|---|
| LOVE | LUMINARIA |
| LUMP OF COAL | MAGI |
| MAGIC | MAIL |
| MAJESTY | MANGER |
| MANTLE | MARY |
| MASS | MEAT AND SPICES |

# Christmas Puzzle 30

| | | | | | | | | | | | | | | |
|---|---|---|---|---|---|---|---|---|---|---|---|---|---|---|
| P | C | K | F | V | M | N | Q | Z | V | O | X | P | I | B | C |
| L | K | G | N | L | I | M | O | G | X | M | Z | K | A | E | L |
| I | O | X | X | H | S | E | S | T | B | E | D | Z | S | A | O |
| A | G | T | Z | Z | T | N | D | L | O | Z | J | B | W | O | I |
| P | O | T | X | C | L | O | M | I | R | A | C | L | E | T | T |
| K | X | A | Y | M | E | R | L | I | T | L | W | R | N | N | T |
| R | V | S | H | U | T | A | S | H | N | S | G | E | K | A | G |
| T | I | X | J | J | O | H | G | N | H | C | M | F | E | T | X |
| M | I | R | T | H | E | I | N | R | C | I | E | M | X | Q | S |
| G | J | W | F | U | N | F | E | Y | R | K | E | P | Q | E | N |
| T | F | J | S | D | K | T | A | R | I | C | Q | W | I | X | D |
| O | X | F | I | U | S | W | E | D | N | C | K | R | H | E | A |
| O | Z | M | S | I | D | M | P | I | Y | K | O | Q | R | R | J |
| M | H | X | N | O | W | S | M | R | C | M | E | Y | O | F | N |
| A | X | I | R | V | K | V | Q | O | E | H | E | P | T | O | F |
| V | M | E | S | S | A | G | E | M | M | K | J | D | Q | C | G |

MEMORIES                  MENORAH
MERRIMENT                 MESSAGE
MIDNIGHT                  MINCE PIE
MINCEMEAT                 MINISTER
MIRACLE                   MIRTH
MISTLETOE

# Christmas Puzzle 31

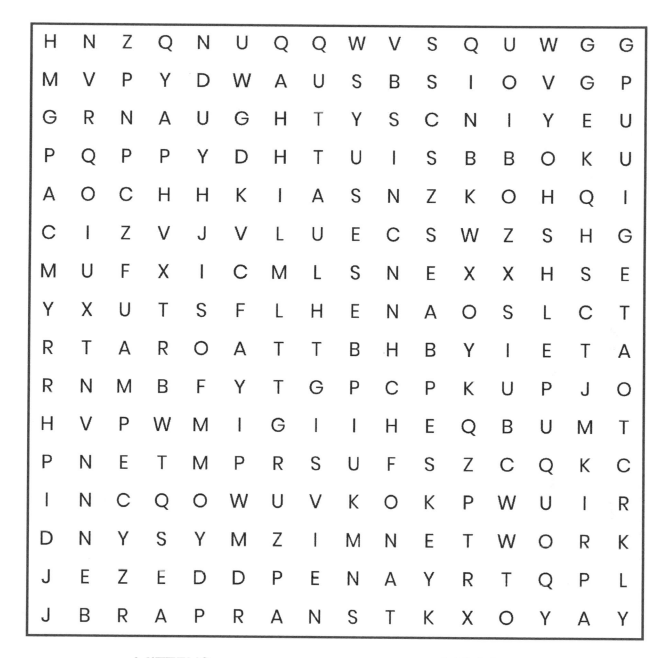

MITTENS

MRS. CLAUS

MUSIC BOX

MYTHS

NAUGHTY

NEW FALLEN SNOW

MOSQUE

MUSIC

MYRRH

NATIVITY

NETWORK

# Christmas Puzzle 32

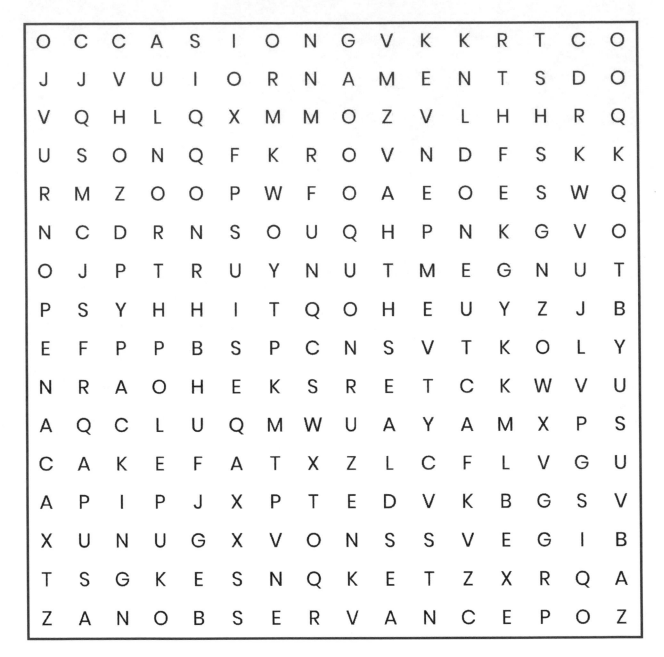

O C C A S I O N G V K K R T C O
J J V U I O R N A M E N T S D O
V Q H L Q X M M O Z V L H H R Q
U S O N Q F K R O V N D F S K K
R M Z O O P W F O A E O E S W Q
N C D R N S O U Q H P N K G V O
O J P T R U Y N U T M E G N U T
P S Y H H I T Q O H E U Y Z J B
E F P P B S P C N S V T K O L Y
N R A O H E K S R E T C K W V U
A Q C L U Q M W U A Y A M X P S
C A K E F A T X Z L C F L V G U
A P I P J X P T E D V K B G S V
X U N U G X V O N S S V E G I B
T S G K E S N Q K E T Z X R Q A
Z A N O B S E R V A N C E P O Z

| | |
|---|---|
| NOEL | NORTH POLE |
| NOSTALGIA | NUT |
| NUTCRACKER | NUTMEG |
| OBSERVANCE | OCCASION |
| OPEN | ORNAMENTS |
| OVEN | PACKING |

# Christmas Puzzle 33

```
N  B  X  F  P  I  W  P  E  A  C  E  D  O  V  E
Q  P  F  X  O  E  P  K  O  Q  L  T  P  V  V  J
F  T  T  M  J  S  P  A  H  P  A  C  Q  B  H  E
P  H  L  R  J  M  H  P  R  T  A  M  X  B  X  B
V  A  J  F  N  E  J  I  E  T  J  R  H  A  R  Z
C  V  G  Q  W  Q  T  N  G  R  R  F  A  G  C  L
P  I  E  E  P  N  D  E  B  E  M  I  B  D  O  X
F  V  R  K  A  A  A  S  L  M  T  I  D  X  E  K
T  G  Y  E  R  N  R  Y  A  M  P  F  N  G  Y  C
O  G  G  B  Q  F  T  T  F  Z  A  M  Y  T  E  G
Y  A  Z  O  Y  M  A  R  Y  D  P  N  N  J  Q  S
P  P  V  D  P  E  U  A  Y  L  E  C  U  V  O  W
B  E  G  A  X  N  I  E  T  T  R  R  K  L  G  B
A  C  E  N  V  X  P  H  O  N  E  C  A  L  L  S
Q  B  O  B  W  F  S  K  O  P  E  A  C  E  A  J
D  L  Q  Y  Y  T  P  W  V  O  Q  G  K  K  T  T
```

| | |
|---|---|
| PAGEANT | PAGEANTRY |
| PAPER | PARADE |
| PARTRIDGE | PARTY |
| PEACE | PEACE DOVE |
| PEPPERMINT | PHONE CALL |
| PIE | PINE |

# Christmas Puzzle 34

N L U U J F J A W D O S E G Y R
P J K K Q R G I U D G E H P C Z
L P U C M F C D R B R O R O D X
U O B I C H C M L T R D R S W O
M P C P P I X I E N W E J T W N
P C Q R G O E N F X C Z Q O N W
U O L E D Y I T O N V A T F P E
D R X S X P V J A T U C N F C T
D N E E D T Y R F H G G G I P Z
I S H N U E P F P D J Q M C I E
N T S T P R A Y E R M M A E N B
G R Z S K C T N G A I V O U E Q
B I P R I D E I A X N E H N C H
W N B R M B F F W P C R S S O B
L G P O I N S E T T I A K T N G
R N O V Y Z D B B L F A I E E Z

| | |
|---|---|
| PINE TREE | PINECONE |
| PIXIE | PLUM PUDDING |
| POINSETTIA | POPCORN STRING |
| POST OFFICE | PRANCER |
| PRAYER | PRESENTS |
| PRIDE | PRIEST |

34

# Christmas Puzzle 35

```
S  P  I  P  R  I  N  C  E  O  F  P  E  A  C  E
O  H  G  O  H  X  P  O  V  E  Q  C  Q  F  Q  A
U  K  N  F  O  N  V  U  O  T  U  J  P  A  U  X
R  Z  T  J  J  O  M  P  P  E  I  A  U  S  A  L
H  P  U  R  I  T  Y  R  Z  P  R  T  M  P  N  C
H  Q  L  K  J  M  L  O  M  Z  K  S  P  R  T  N
U  U  Q  T  B  I  P  G  O  U  Y  R  K  O  I  R
C  E  U  H  E  P  M  R  F  F  U  H  I  P  T  Z
X  S  I  K  R  O  I  A  I  G  H  V  N  H  Y  F
M  T  N  L  G  F  S  M  T  O  T  H  P  E  Y  C
I  I  C  I  Q  J  B  Y  C  P  R  T  I  C  Y  H
V  O  E  R  K  P  G  R  R  Q  U  I  E  Y  O  U
C  N  P  N  T  R  M  Z  A  R  S  N  T  X  Z  F
Y  S  I  P  R  O  C  L  A  I  M  P  C  I  S  Z
T  Z  E  S  R  M  R  T  A  B  Q  J  Q  H  E  T
E  U  A  B  O  A  Q  I  P  Y  R  A  L  M  W  S
```

| | |
|---|---|
| PRINCE OF PEACE | PRIORITIES |
| PROCLAIM | PROGRAM |
| PROPHECY | PUMPKIN PIE |
| PUNCH | PURITY |
| QUANTITY | QUESTIONS |
| QUINCE PIE | QUIRKY |

# Christmas Puzzle 36

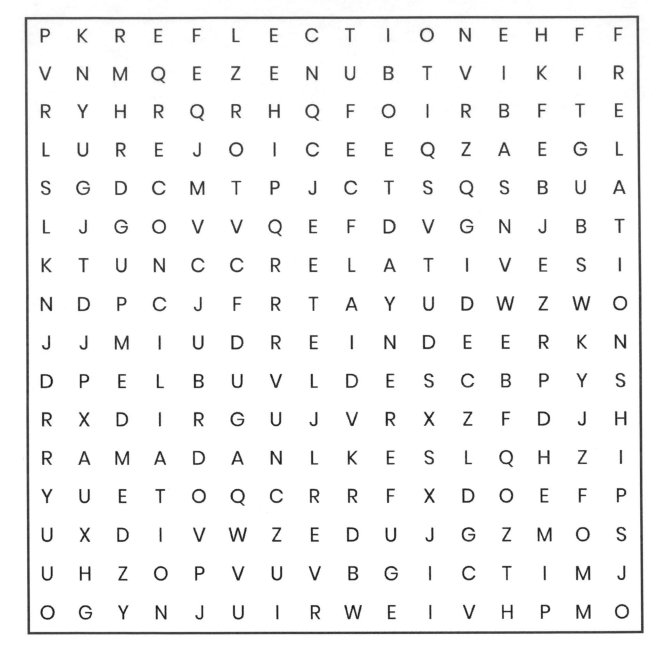

P K R E F L E C T I O N E H F F
V N M Q E Z E N U B T V I K I R
R Y H R Q R H Q F O I R B F T E
L U R E J O I C E E Q Z A E G L
S G D C M T P J C T S Q S B U A
L J G O V V Q E F D V G N J B T
K T U N C C R E L A T I V E S I
N D P C J F R T A Y U D W Z W O
J J M I U D R E I N D E E R K N
D P E L B U V L D E S C B P Y S
R X D I R G U J V R X Z F D J H
R A M A D A N L K E S L Q H Z I
Y U E T O Q C R R F X D O E F P
U X D I V W Z E D U J G Z M O S
U H Z O P V U V B G I C T I M J
O G Y N J U I R W E I V H P M O

RABBI                   RAMADAN
RECEIVE                 RECONCILIATION
RED                     REFLECTION
REFUGE                  REINDEER
REJOICE                 RELATIONSHIPS
RELATIVES

# Christmas Puzzle 37

```
G  R  W  C  O  N  S  K  A  I  U  R  Y  W  O  Y
T  E  R  J  T  M  V  V  A  T  W  V  R  Q  F  M
C  T  D  X  W  H  R  H  W  S  B  B  Y  V  R  R
D  U  Y  J  P  E  H  X  Y  L  H  L  F  I  E  C
A  R  B  I  M  C  N  E  F  Q  Z  V  Z  R  V  J
R  N  P  P  R  I  B  B  O  N  G  X  X  E  E  G
G  O  R  E  M  I  N  I  S  C  E  N  C  E  A  G
Q  F  G  R  E  S  O  L  U  T  I  O  N  S  L  W
K  L  O  H  F  T  N  F  L  W  T  N  P  Q  Y  S
R  I  R  T  E  O  J  A  E  S  C  O  V  O  Q  W
D  G  O  E  I  L  U  V  W  Y  T  P  C  Z  U  E
Y  H  N  N  V  T  C  V  P  F  K  X  D  Z  L  U
O  T  U  E  I  E  R  O  O  T  S  P  X  H  P  I
P  E  R  R  Q  Z  L  O  E  K  S  Y  N  N  F  H
R  D  D  A  Z  A  R  E  V  E  R  E  N  C  E  O
K  F  R  X  R  E  L  I  G  I  O  N  Z  T  Y  D
```

| | |
|---|---|
| RELIGION | REMINISCENCE |
| RESOLUTIONS | RETURN OF LIGHT |
| REUNION | REVEAL |
| REVEL | REVERENCE |
| RIBBON | RITUAL |
| ROOFTOP | ROOTS |

# Christmas Puzzle 38

R B Z V K E D H W I Y A S V D W
G S U D U S P D J N C X Y R N S
I A N V J G P U I R S R A P S A
I N U O J Z I Y U E A E P A A N
F T U E Z U O H V U B G X Q N T
X A V I P E I L T S K K Y M T A
V S N Z B Q E C A D S K H M A S
I B L E C S N T E W I E J S C H
J A Y M A A N R X M A F K A L E
A G N T S A C Y S J U G Q L A L
E Z N S S A V C C A R W Y E U P
P A J X S J R Q W P C U I S S E
S H S S D P A V V F H K H T F R
F K R U D O L P H D C M C J A S
A Y V D S A N T A S L I S T L J
R R S A I N T N I C H O L A S B

RUDOLPH                         SACK
SACRED                          SAINT NICHOLAS
SALES                           SANCTUARY
SANTA CLAUS                     SANTA'S ELVES
SANTA'S HELPERS                 SANTA'S LIST
SANTA'S BAG                     SANTA'S BEARD

# Christmas Puzzle 39

```
R D X D R H D Z N I S V K N H N
U X S S W N F F H N H R L G K S
U S L E O W H S F A A R N W F A
Q E Z C A C F L S L B I A S T N
J R D R J S F X U C D D D C N T
Q M S E J B O C Q N R V H A U A
E P C T G M E N E N D O Q R D S
R I E S Y S S S P T K S O F R W
H J N A I Q G E U A O B Y G Y O
I R T N R E N N K Z L U S X E R
A X P T G M J O U S A U C E J K
W T Y A Z A A X Z H Q O Y W H S
T S C S A N T A S S L E I G H H
R X Z K O X S S A V I O R A H O
X V C R T X E H F B V C M Q L P
S E A S O N S G R E E T I N G S
```

SANTA'S WORKSHOP          SANTA'S SLEIGH
SAUCE                     SAVIOR
SCARF                     SCENT
SCROOGE                   SEASON
SEASON'S GREETINGS        SECRET SANTA
SECULAR                   SENDING

# Christmas Puzzle 40

A Y J R H I H O G W K U D C M E
B W N M U A Q Q S L E D F Q Q S
T S I L V E R Y M G N P E R S V
S L E I G H B E L L S C Y N F Z
Y P U N V N Z H N W I S E N K Z
Y U W T T U W Y E V L T G G F D
Q J J L U O J X R L A H N M R K
L D E E N Z W E E K S I K E N Q
P K V S B E S B S O P E H S P M
H E W V C L R Y U P A P E H N K
W W X Q M E I N O U E G E A S I
N R V N V S L H K H U D G R P Z
M M I L A D S N S A X F D I W H
K L I R G S L E I G H B O N H G
A S R Y S H V M U Y K J O G Z K
A Y S D S N O W A N G E L G W V

| | |
|---|---|
| SERVICE | SHARING |
| SHEPHERD | SHOPPING |
| SILVER | SILVER BELLS |
| SKATE | SLED |
| SLEIGH | SLEIGH BELLS |
| SNOW | SNOW ANGEL |

# Christmas Puzzle 41

```
S  Q  R  O  A  A  O  U  Z  Q  M  K  P  X  Z  E
N  D  N  F  Y  S  N  O  W  M  A  N  B  I  P  Z
M  S  Y  B  L  M  S  H  E  Z  F  C  N  L  Q  K
N  S  N  O  W  B  A  L  L  T  D  B  V  J  P  I
Y  Z  H  M  U  C  B  H  J  L  I  F  C  J  S  G
Z  Q  E  Z  X  A  S  N  X  S  H  D  X  W  P  G
C  X  I  U  T  I  R  I  G  T  N  L  B  P  I  S
R  A  P  S  S  G  T  N  N  U  A  Y  G  Z  R  B
O  H  Y  K  C  N  O  S  O  G  E  S  E  D  I  Q
H  L  N  K  R  S  O  B  P  Q  I  B  T  B  T  N
R  J  C  A  U  Q  W  W  H  J  A  V  N  S  A  I  I
T  K  T  I  Q  O  R  M  F  D  H  F  G  O  N  G
E  S  H  Q  N  E  E  A  J  A  X  A  Y  D  C  D
W  Y  D  S  V  S  U  T  Z  K  L  V  X  M  Q  K
X  T  J  F  Y  G  Z  T  G  L  P  L  H  O  Y  W
W  S  N  O  W  F  L  A  K  E  J  P  P  X  L  E
```

SINGING                    SNOWBALL
SNOWBOUND                  SNOWFALL
SNOWFLAKE                  SNOWMAN
SOCK                       SONGS
SPIRIT                     STABLE
STAND                      STAR

# Christmas Puzzle 42

| | | | | | | | | | | | | | | | |
|---|---|---|---|---|---|---|---|---|---|---|---|---|---|---|---|
| P | V | T | Z | H | O | L | G | V | U | F | E | V | U | U | W |
| W | S | W | U | Y | A | H | S | U | R | P | R | I | S | E | S |
| K | Z | T | S | S | W | S | Q | L | R | W | U | H | C | O | T |
| D | M | N | A | T | U | K | T | U | X | L | T | E | M | S | O |
| P | R | S | K | R | A | S | G | U | T | C | U | W | M | U | C |
| P | V | T | T | P | O | R | T | N | F | Z | O | S | D | N | K |
| Z | Y | H | Z | O | K | F | L | E | S | F | F | K | C | D | I |
| S | X | S | S | R | C | E | D | I | N | U | I | A | H | O | N |
| M | F | T | R | Z | G | K | C | A | G | A | N | N | P | W | G |
| S | X | E | C | D | F | M | I | E | V | H | N | H | G | N | S |
| V | H | I | A | T | J | I | K | N | B | I | T | C | G | K | T |
| J | B | U | H | T | T | C | E | V | G | Z | D | R | E | D | U |
| P | S | K | C | K | I | L | S | T | R | A | W | S | I | H | F |
| B | A | I | N | N | Z | Q | E | T | E | I | C | A | O | U | F |
| F | W | T | T | W | S | U | G | A | R | P | L | U | M | N | E |
| U | J | S | U | X | F | K | M | N | S | W | S | T | J | F | R |

ST. NICK                    STAR OF DAVID
STARLIGHT                   STOCKING
STOCKING STUFFER            STRAWS
STUFFING                    SUGARPLUM
SUN                         SUNDOWN
SURPRISE                    SUSTENANCE

# Christmas Puzzle 43

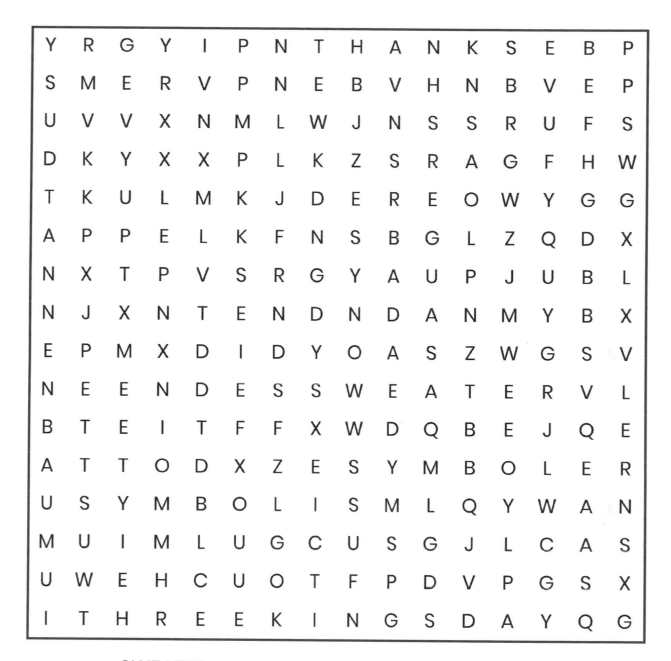

```
Y  R  G  Y  I  P  N  T  H  A  N  K  S  E  B  P
S  M  E  R  V  P  N  E  B  V  H  N  B  V  E  P
U  V  V  X  N  M  L  W  J  N  S  S  R  U  F  S
D  K  Y  X  X  P  L  K  Z  S  R  A  G  F  H  W
T  K  U  L  M  K  J  D  E  R  E  O  W  Y  G  G
A  P  P  E  L  K  F  N  S  B  G  L  Z  Q  D  X
N  X  T  P  V  S  R  G  Y  A  U  P  J  U  B  L
N  J  X  N  T  E  N  D  N  A  N  M  Y  B  X
E  P  M  X  D  I  D  Y  O  A  S  Z  W  G  S  V
N  E  E  N  D  E  S  S  W  E  A  T  E  R  V  L
B  T  E  I  T  F  F  X  W  D  Q  B  E  J  Q  E
A  T  T  O  D  X  Z  E  S  Y  M  B  O  L  E  R
U  S  Y  M  B  O  L  I  S  M  L  Q  Y  W  A  N
M  U  I  M  L  U  G  C  U  S  G  J  L  C  A  S
U  W  E  H  C  U  O  T  F  P  D  V  P  G  S  X
I  T  H  R  E  E  K  I  N  G  S  D  A  Y  Q  G
```

| | |
|---|---|
| SWEATER | SYMBOL |
| SYMBOLISM | SYNAGOGUE |
| TANNENBAUM | TEDDY BEAR |
| TEMPLE | TENDERNESS |
| TEXTS | THANKS |
| THREE KINGS DAY | TIDINGS |

43

# Christmas Puzzle 44

S H O O I Z C F R R Y G F J T E
S X T O B O G G A N U W Z L R A
T U R Y P V A A Z Q L Q J U A I
R N A F P I Y K S E Q B J X D P
I Q N C A P A H V O S Y Z Z I K
M C Q R T A F A O S T D G G T D
M U U U N I R V C W N R P H I C
I N I G D T N M J A R Y A L O D
N L L K I S V S T P P O S I N V
G X I X W T H S E F C K H Y N N
B A T I T R E E J L A T H D Q K
I W Y G L E U F S C W S O M Q A
N Z F F R I S J Y S V B T Y W S
D M Y T N T O G E T H E R J N V
B L T E P G N I E J F V P W B A
L T I N Y T I M S D H F Z M X L

TINSEL                          TINY TIM
TOBOGGAN                        TOGETHER
TOY                             TRADITION
TRAIN                           TRANQUILITY
TRAVEL                          TREE
TREE STAND                      TRIMMING

# Christmas Puzzle 45

```
E X H G E C U U W X C W H Z H S
C M M U W U L R M I D V J I I H
C Z O T R U M P E T S A G Q L D
U K Q M E Q Y C V U X L C M I T
N S U B R W A J J R X U C U R Y
D B T N V N E E Y I P E A N O H
E B O W B A R X Y I J Q I I U H
R O C T I O F D R T F Q O V H I
S I J E T N X T L D Q D T E V U
T F U V U W K I A U V E R R Y P
A E N L R F X L N B E Q U S A W
N U W J K X T N I G Y A S A D R
D F R Y E D T C A N H W T L C P
I F A O Y H U Q U N G W E I O R
N A P I Y Y G U N I T Y S T H R
G M M T J K J G F X G W G Y Q A
```

| | |
|---|---|
| TRIP | TRUMPETS |
| TRUST | TUG |
| TURKEY | TWINKLING |
| UNBOXING | UNDERSTANDING |
| UNITY | UNIVERSALITY |
| UNWRAP | VALUE |

# Christmas Puzzle 46

```
S  K  S  K  M  L  W  A  R  M  N  E  S  S  E  Y
F  W  J  W  O  T  F  U  J  N  N  L  E  N  A  R
C  U  X  W  B  V  I  S  I  T  I  T  V  H  W  Z
V  R  S  D  E  Y  Z  Q  N  A  I  N  Y  N  W  C
G  E  L  H  C  N  K  M  S  H  K  Y  H  K  I  P
M  J  N  Q  F  O  C  S  W  O  H  A  X  R  N  J
O  F  S  I  O  D  A  E  H  V  Y  Y  M  Q  T  X
O  K  L  W  S  W  J  S  S  A  I  Z  L  D  E  R
T  R  P  C  W  O  E  L  C  L  T  X  P  P  R  N
A  U  M  T  K  U  N  J  V  C  A  U  E  G  C  N
Y  X  S  H  L  O  H  E  T  M  Z  U  U  N  Z  K
A  Y  K  A  F  U  V  T  D  W  I  X  S  J  F  P
N  H  V  A  N  S  P  V  A  N  I  L  L  A  U  V
C  S  Y  X  S  Q  Q  F  N  L  O  K  Q  M  U  A
N  J  O  V  O  L  U  N  T  E  E  R  U  J  X  S
J  N  W  A  L  N  U  T  S  S  B  V  Y  C  X  R
```

| | |
|---|---|
| VALUES | VANILLA |
| VENISON | VISIT |
| VIXEN | VOLUNTEER |
| WALNUTS | WARMNESS |
| WASSAIL | WENCESLAUS |
| WHITE | WINTER |

# Christmas Puzzle 47

```
M  U  W  W  D  R  B  A  L  A  O  F  F  D  C  I
Y  P  I  I  W  P  W  W  W  I  S  H  E  S  P  D
A  L  N  N  R  Z  O  W  H  D  I  F  X  T  L  M
F  W  T  T  A  N  N  W  I  D  P  H  H  M  O  P
N  I  E  E  P  F  D  K  O  S  Y  I  D  N  B  W
G  N  R  R  P  B  E  L  W  N  E  C  S  C  X  G
V  T  S  W  I  Q  R  G  K  M  D  M  E  W  G  N
S  E  O  O  N  J  L  C  T  S  K  E  E  N  O  O
F  R  L  N  G  L  A  B  Z  I  Y  Y  R  N  B  A
X  T  S  D  P  E  N  B  W  R  E  A  T  H  D  W
H  I  T  E  A  C  D  V  T  A  U  U  E  N  C  I
L  M  I  R  P  U  V  N  G  A  W  J  J  S  F  S
Y  E  C  L  E  B  I  C  H  J  R  J  C  C  X  H
Z  E  E  A  R  W  C  M  T  M  A  J  M  K  B  X
X  E  C  N  G  V  S  J  M  W  P  W  P  W  P  B
P  V  J  D  B  H  Q  L  C  H  Z  L  R  Q  Z  W
```

| | |
|---|---|
| WINTER SOLSTICE | WINTER WONDERLAND |
| WINTERTIME | WINTRY |
| WISE MEN | WISH |
| WISHES | WONDER |
| WONDERLAND | WRAP |
| WRAPPING PAPER | WREATH |

# Christmas Puzzle 48

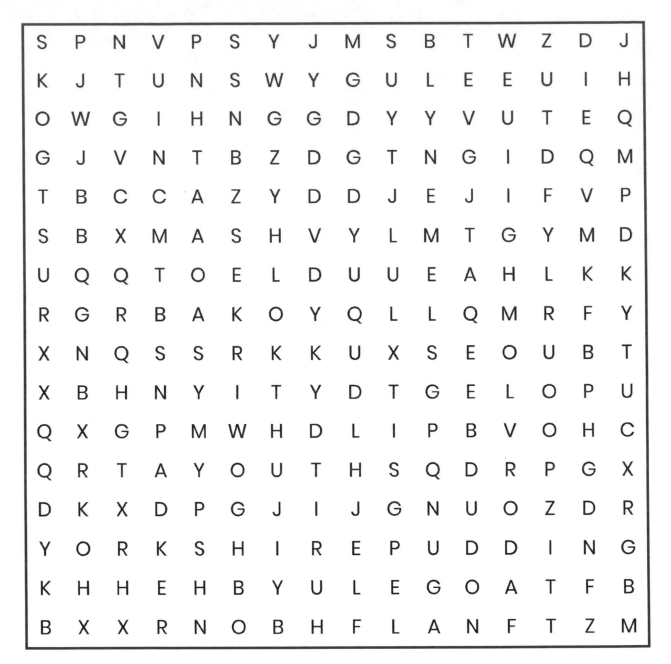

S P N V P S Y J M S B T W Z D J
K J T U N S W Y G U L E E U I H
O W G I H N G G D Y Y V U T E Q
G J V N T B Z D G T N G I D Q M
T B C C A Z Y D D J E J I F V P
S B X M A S H V Y L M T G Y M D
U Q Q T O E L D U U E A H L K K
R G R B A K O Y Q L L Q M R F Y
X N Q S S R K K U X S E O U B T
X B H N Y I T Y D T G E L O P U
Q X G P M W H D L I P B V O H C
Q R T A Y O U T H S Q D R P G X
D K X D P G J I J G N U O Z D R
Y O R K S H I R E P U D D I N G
K H H E H B Y U L E G O A T F B
B X X R N O B H F L A N F T Z M

XMAS                           YORKSHIRE PUDDING
YOUTH                          YULE
YULE GOAT                      YULE LOG
YULETIDE

48

## Christmas Puzzle 1 - Solution

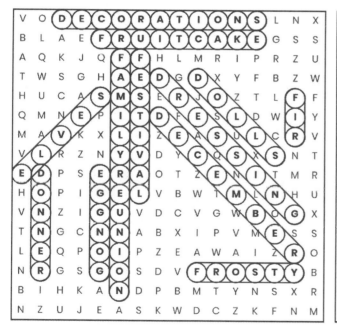

## Christmas Puzzle 2 - Solution

## Christmas Puzzle 3 - Solution

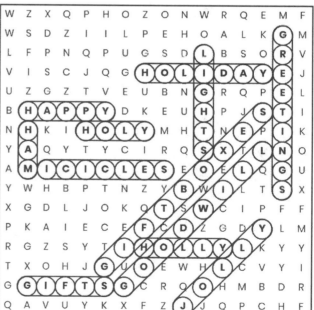

## Christmas Puzzle 4 - Solution

### Christmas Puzzle 5 - Solution

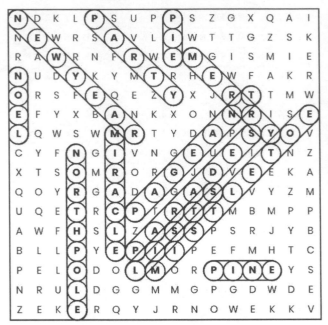

### Christmas Puzzle 6 - Solution

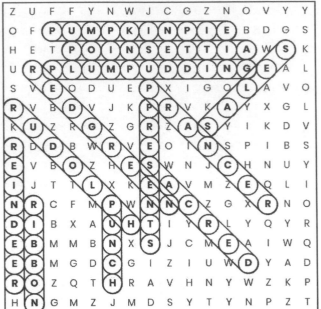

### Christmas Puzzle 7 - Solution

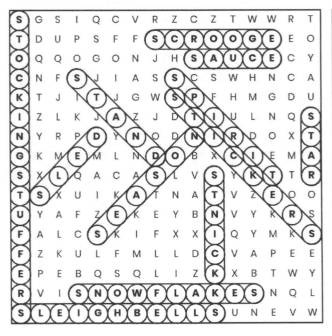

### Christmas Puzzle 8 - Solution

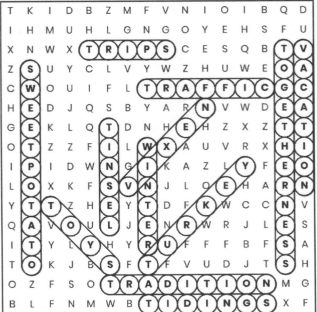

## Christmas Puzzle 9 - Solution

## Christmas Puzzle 10 - Solution

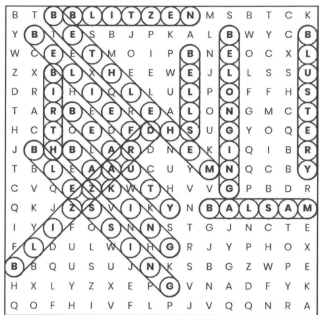

## Christmas Puzzle 11 - Solution

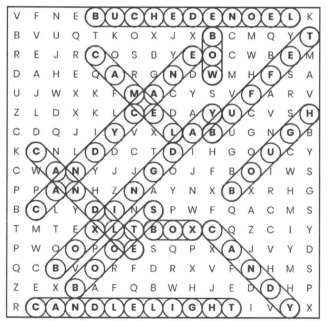

## Christmas Puzzle 12 - Solution

## Christmas Puzzle 13 - Solution

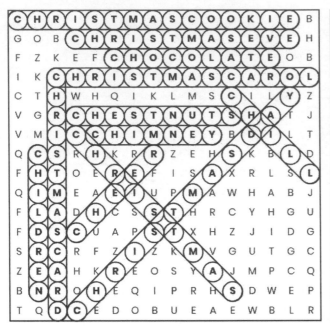

## Christmas Puzzle 14 - Solution

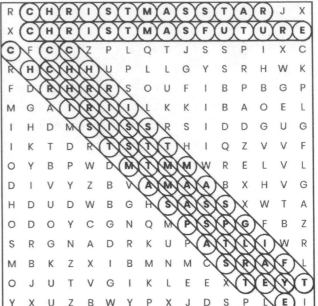

## Christmas Puzzle 15 - Solution

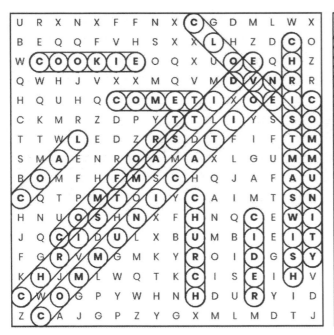

## Christmas Puzzle 16 - Solution

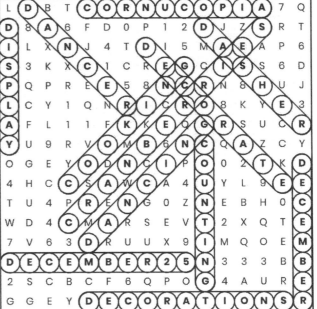

## Christmas Puzzle 17 - Solution

## Christmas Puzzle 18 - Solution

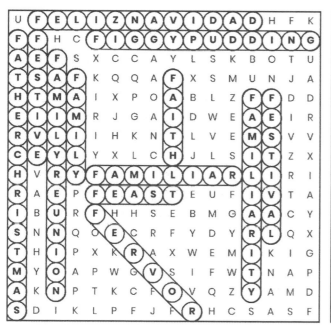

## Christmas Puzzle 19 - Solution

## Christmas Puzzle 20 - Solution

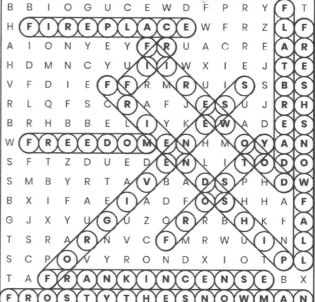

## Christmas Puzzle 21 - Solution

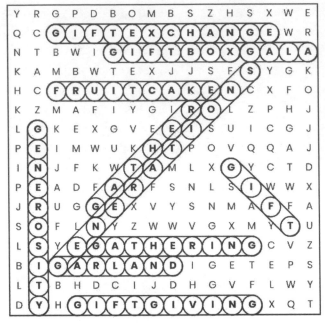

## Christmas Puzzle 22 - Solution

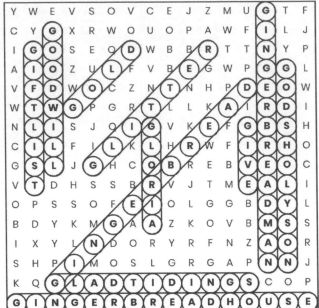

## Christmas Puzzle 23 - Solution

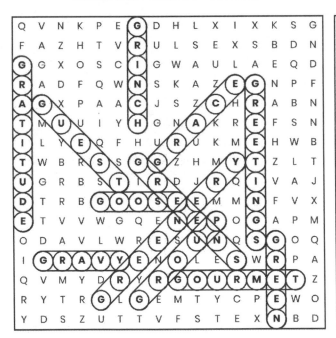

## Christmas Puzzle 24 - Solution

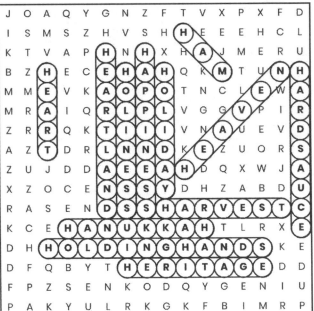

## Christmas Puzzle 25 – Solution

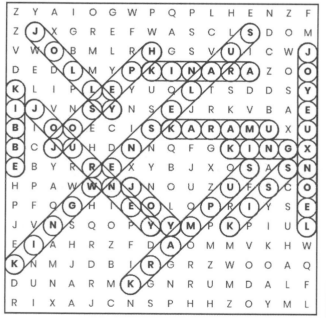

## Christmas Puzzle 26 – Solution

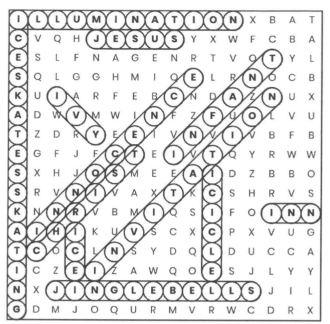

## Christmas Puzzle 27 – Solution

## Christmas Puzzle 28 – Solution

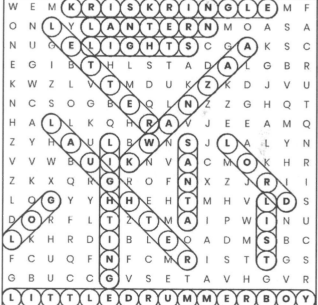

## Christmas Puzzle 29 - Solution

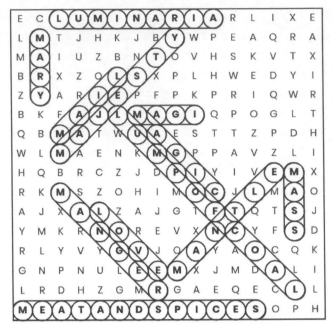

## Christmas Puzzle 30 - Solution

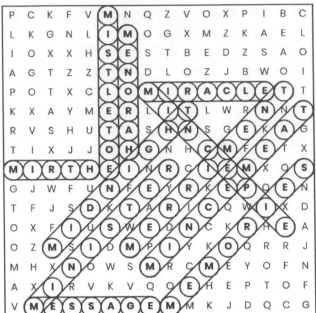

## Christmas Puzzle 31 - Solution

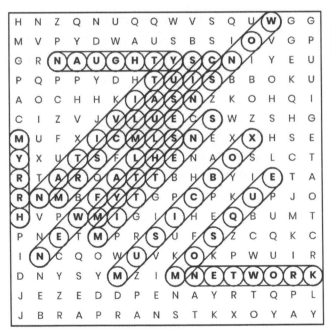

## Christmas Puzzle 32 - Solution

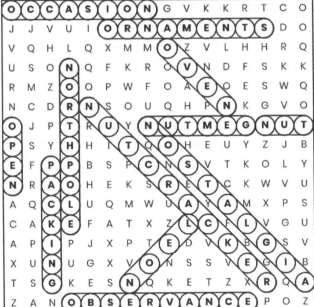

## Christmas Puzzle 33 - Solution

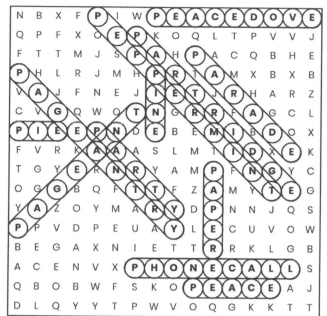

## Christmas Puzzle 34 - Solution

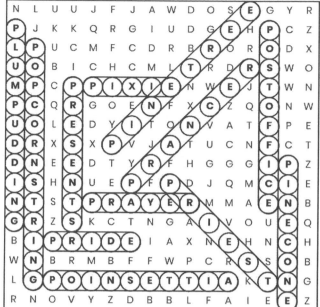

## Christmas Puzzle 35 - Solution

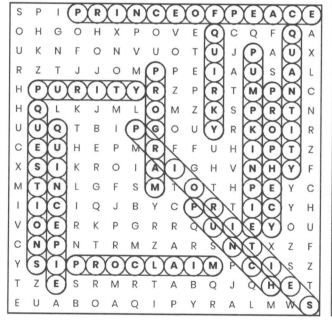

## Christmas Puzzle 36 - Solution

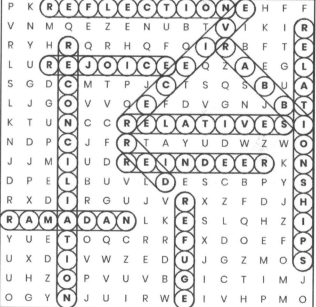

## Christmas Puzzle 37 - Solution

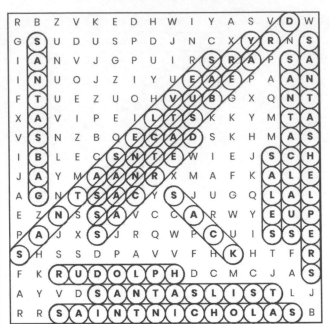

## Christmas Puzzle 38 - Solution

## Christmas Puzzle 39 - Solution

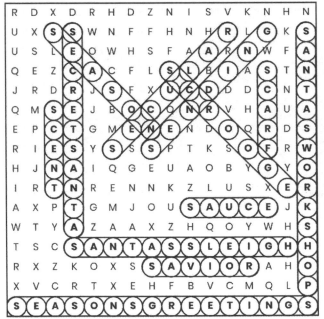

## Christmas Puzzle 40 - Solution

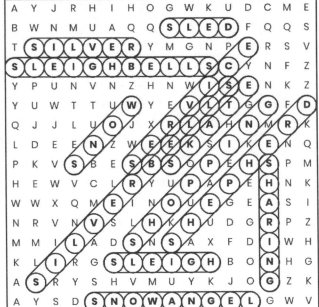

58

## Christmas Puzzle 41 - Solution

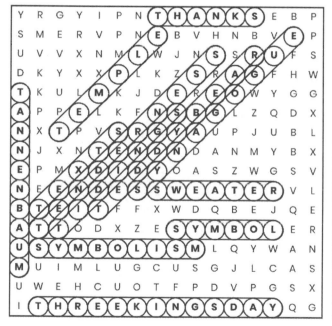

## Christmas Puzzle 42 - Solution

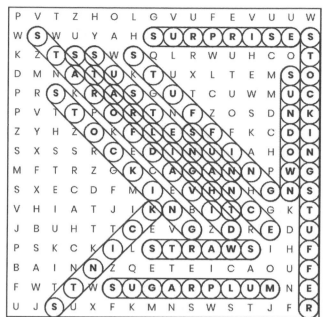

## Christmas Puzzle 43 - Solution

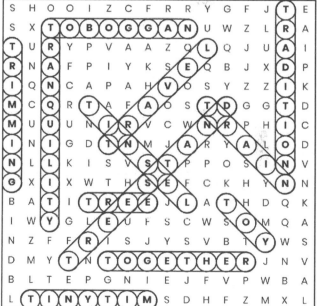

## Christmas Puzzle 44 - Solution

## Christmas Puzzle 45 - Solution

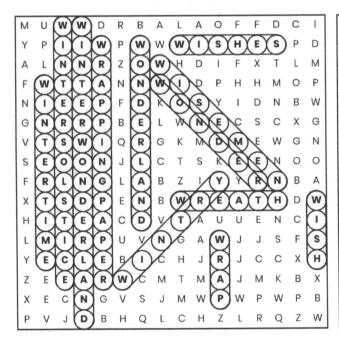

## Christmas Puzzle 46 - Solution

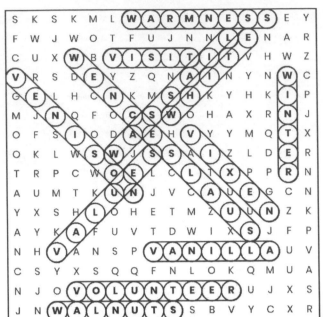

## Christmas Puzzle 47 - Solution

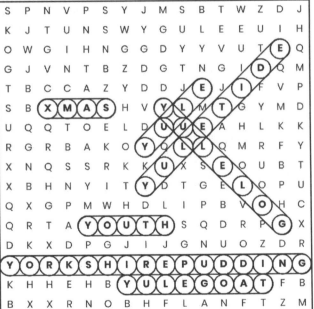

## Christmas Puzzle 48 - Solution

Made in the USA
Monee, IL
02 December 2022

19386657R00035